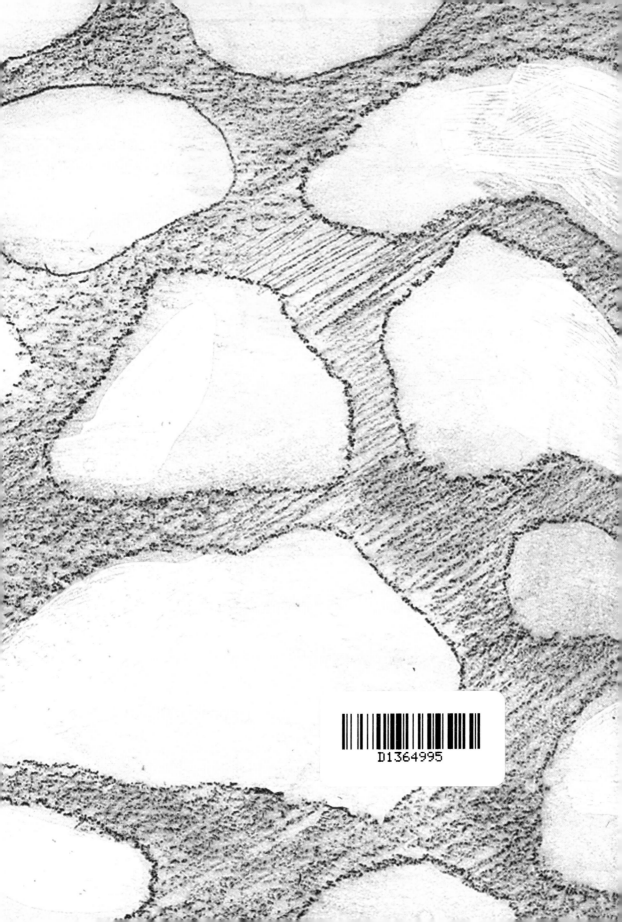

ON LES AURA !

CARNET DE GUERRE D'UN POILU
(AOÛT, SEPTEMBRE 1914)

Merci au froid de l'hiver
Merci à Marie-Thérèse M. pour sa patience
Merci à Françoise M. pour sa confiance
Merci à Laetitia B. pour toute la documentation amassée
Merci à Frédérique G. pour son regard intransigeant
Merci au jardin d'Alice
Merci à tous ceux qui ont cru au projet

Merci au soldat inconnu dont je vous livre ici le récit complet

Barroux

BARROUX

ON LES AURA !

CARNET DE GUERRE D'UN POILU

(AOÛT, SEPTEMBRE 1914)

SEUIL

Je marcherai, c'est pas si loin...

De Bastille à République, je marche d'un pas régulier. Un soleil frileux perce à travers les nuages, l'hiver pointe son nez.

La rue s'anime. Devant moi, deux hommes couverts de crasse s'activent et soufflent.

"On vide les caves,
servez-vous
si ça vous tente !"

Ils déversent sur le trottoir leur flot de papiers humides, livres moisis, galets de charbon noir et meubles fatigués...

Au milieu des sourires jaunis par le temps, des mots poussiéreux, une boîte en carton attire mon regard.

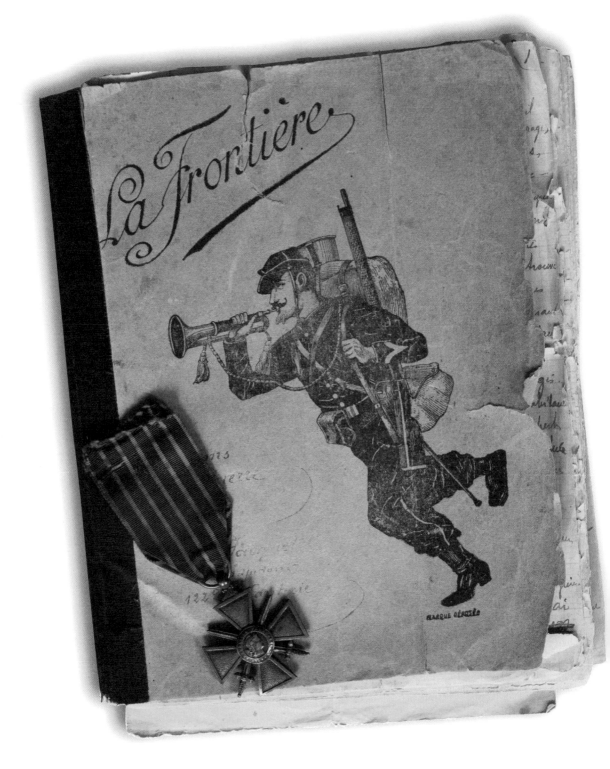

C'est le jour du départ. La mobilisation est décrétée, il faut partir, quitter femme, enfants, famille. J'ai du courage, il le faut. 9 heures. C'est fini : adieu à tous. Non, au revoir. Car je les reverrai.

Lucien et René m'accompagnent jusqu'à la gare de Bercy où je suis convoqué. Le temps est superbe. Un peu chaud mais bien. J'en verrai d'autres.

10 heures, nous arrivons. Après une vigoureuse étreinte, je passe la barrière et je retrouve tous les camarades d'autrefois. Tous sont gais. Nous nous dirigeons sur le quai du départ.

Là, un lieutenant de l'infanterie territoriale que j'ai connu nous offre de monter dans le wagon de 1re réservé aux officiers et nous voilà installés comme des princes.

En route pour Montargis. De toutes parts s'élèvent des acclamations. Le train marche à petite vitesse. Juvisy : les habitants nous apportent des bouteilles de vin.

Corbeil, Malesherbes, partout sur notre passage nous sommes salués par les cris de « Vive la France ! Vive l'armée ! »

16 heures, nous arrivons en gare de Montargis et chacun rappelle ses vieux souvenirs pendant que nous arpentons le chemin qui nous mène à la caserne.

Enfin, nous retrouvons chacun notre compagnie. Fernand est dans la cour qui m'attend depuis le matin. Il me conduit au magasin de la compagnie.

Là, c'est un vrai désordre. Je prends les effets dont j'ai besoin et nous partons chez ses beaux-parents. Je suis reçu par Mme Fernand et ses parents comme un membre de sa famille. Ces braves gens cherchent à atténuer le chagrin de la séparation du matin.

Après un bon dîner, je suis conduit à la chambre qui m'est réservée. Et je m'endors non sans avoir envoyé ma dernière pensée à ceux que j'ai laissés.

5 heures, il faut se lever de bonne heure car la compagnie doit gagner aujourd'hui ses cantonnements en ville. Nous arrivons à la caserne où je me hâte de monter mon sac et mon équipement.

Après, la compagnie rassemblée dans la cour, on nous fait la distribution des vivres et des cartouches.

N'ayant pas de section attribuée, je me fais inscrire en supplément à la 3e, celle de l'adjudant et surtout de Fernand que je pourrai ainsi ne pas quitter. Vers 10 heures, tout est prêt et nous partons occuper les cantonnements qui nous sont attribués en attendant le départ qui doit avoir lieu le lendemain matin.

Les journaux arrivent de Paris annonçant la mauvaise nouvelle officielle. La guerre est déclarée. C'en est donc fini, nous allons nous battre !

Combien de ces soldats que nous voyons passer rentreront dans leur foyer ? Chassons ces idées noires et reprenons courage.

Les femmes pleurent, il faut leur montrer que nous sommes plus forts qu'elles et les convaincre que nous reviendrons.

Mais il faut rejoindre les compagnies où l'après-midi doit être occupée par des revues du capitaine et du commandant. Il faut plus que jamais que chacun soit à son poste et que rien ne manque. Enfin tout est prêt. Nous regagnons la maison.

Avant le dîner, je vais voir Maurice pour lequel j'ai toujours gardé un respectueux souvenir. Il me réconforte en me disant que la guerre n'est pas si meurtrière que l'on croit. Puisse-t-il dire vrai ! Je le quitte et il m'exprime ses regrets de ne pas venir avec nous. La soirée s'achève tristement et je regagne ma chambre en bénissant les braves gens qui m'ont adouci ces deux premiers jours de séparation.

MERCREDI 5 AOÛT

Cette fois, c'est le grand départ. Dès 4 heures nous sommes debout car le rassemblement est pour 5 heures. Après avoir pris nos musettes bien garnies de pain et d'un lapin cuit la veille, ce sont les adieux.

Nous pleurons tous les cinq. Après avoir promis à Mme Fernand de ne pas nous quitter, nous partons le cœur bien gros, mais le sentiment du devoir nous redonne du courage et nous voilà bientôt sur les rangs, prêts à partir.

Une fois le régiment rassemblé, le colonel fait rendre les honneurs au drapeau et prononce une vibrante allocution à laquelle répondent des acclamations ; puis c'est le défilé en musique jusqu'à la gare.

7 heures, le train siffle et part dans la direction de Paris. Cruelle ironie ! Après un arrêt à Corbeil, le train repart mais cette fois en direction de l'est. Dans les gares, les dames de la Croix-Rouge nous apportent à boire et à manger. Nous passons à Montereau, Romilly, Troyes. Où allons-nous ? Mystère.

C'est en vain que j'essaie de dormir. Je commence à avoir les reins sans connaissance. 2 heures du matin. Bar-Le-Duc. Quand nous arrêterons-nous ?

JEUDI 6 AOÛT

À 5 heures, nous débarquons à Lebeuville par une pluie matinale. Après un arrêt d'une heure, où nous faisons du café, nous voilà repartis. Peu à peu, le soleil se lève et commence à nous chauffer. Je sens mes pieds qui me font souffrir. Ça commence bien.

Nous arrivons en vue de Saint-Mihiel et nous faisons la grande halte. Je surprends une conversation du commandant avec des officiers disant que nous allons probablement rester ici quelques jours. J'en profite pour envoyer mon adresse.

Nous traversons la ville et nous gagnons notre cantonnement qui est la caserne du 25e bataillon de chasseurs à pied. Je commence à tirer la patte. Ici, tout est en désordre et montre le départ précipité. Les lits sont défaits, les paquetages sur les planchers. On croirait le bataillon à l'exercice ou en marche.

Enfin, nous allons pouvoir nous reposer un peu du voyage. Il y a des lits pour tout le monde. Je me déchausse et je constate que j'ai les pieds plein d'ampoules. J'appréhende les prochaines marches.

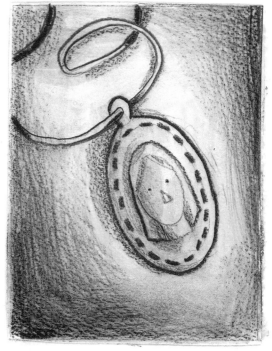

En ouvrant mon sac, je trouve un porte-bonheur caché par ma chère femme et une larme me monte aux yeux.

Après un sérieux nettoyage, nous sortons Fernand et moi pour visiter la caserne du 40e régiment d'artillerie qui se trouve en face. Ici, même désordre, et des femmes plus ou moins recommandables rôdent dans les bâtiments sous prétexte de nettoyer mais je crois dans un but tout différent.

Nous sortons écœurés et nous descendons en ville chercher à dîner. Après de nombreuses recherches, nous arrivons à trouver chez un marchand de vins un bol de bouillon et un bifteck aux pommes. 8 heures, nous rentrons et nous nous couchons.

Dès 5 heures, le bataillon est rassemblé pour le départ. Le séjour est déjà fini. Nous partons dans la direction de l'est. Il fait chaud, les routes sont dures et j'ai toujours mal aux pieds. Vers 8 heures, nous arrivons à Bussières, une ambulance installée à la mairie nous donne un avant-goût de la bataille.

Fernand nous trouve une bouteille de bon vin, ce qui nous remet un peu. Après une halte assez longue sur la place, nous sortons et nous allons nous échelonner le long d'une petite voie ferrée pour y faire des tranchées derrière les talus. Tout à coup, un orage éclate et nous recevons stoïquement une fameuse ondée sur le dos.

Une fois la pluie arrêtée, nous rentrons en ville pour gagner nos cantonnements. L'adjudant nous a trouvé une petite chambre dans une maison abandonnée, et avec un peu de paille, nous voilà installés comme des rois. Pas encore de nouvelles de Paris, je commence à trouver le temps long.

SAMEDI 8 AOÛT
Dès 5 heures, nous voilà partis continuer les tranchées. On commence à entendre le canon dans le lointain.

À midi, je rentre au village avec une escouade qui doit se reposer pour prendre le soir la garde aux issues. Je prends note des consignes et je vais examiner mon secteur de surveillance. Après quoi, je vais visiter un peu le pays. Rien d'intéressant. Le soir arrive, la compagnie rentre puis c'est la soupe.

Les feux s'éteignent, tout s'endort. Je rêve au clair de lune à ceux que j'ai laissés là-bas et dont je n'ai pas encore de nouvelles. À cette pensée mon cœur se gonfle et pour ne pas m'attendrir, je vais faire une ronde, puis je rentre m'allonger sur la paille. La nuit s'achève sans incident.

Le jour se lève, superbe, et la journée s'annonce chaude. Nous partons aux tranchées. Puissions-nous rester ici encore longtemps ! On entend toujours le canon gronder dans le lointain. À midi, arrive un ordre de départ en même temps que la nouvelle de la prise de Mulhouse par les Français.

Nous partons le cœur content, pendant que les gens du pays nous souhaitent bonne chance. Il fait une chaleur étouffante et ce n'est que montées continuelles.
À la tombée de la nuit nous arrivons. Tout le monde est exténué : officiers et soldats.

Nous nous arrêtons pour faire une halte avant d'entrer dans le pays. Allons-nous nous cantonner ici ? Mais non, nous reprenons la route et nous allons plus loin dans une nuit noire comme de l'encre. Nous sommes dans la direction de Verdun. Quand allons-nous nous arrêter ?

Mes pieds sont en sang. Mes jambes ne peuvent plus me supporter. Ce n'est plus un homme qui marche, c'est un mouton qui suit le troupeau. Fernand est aussi fatigué que moi.

Enfin, nous arrivons dans un village quand sonnent 2 heures. Le cantonnement est restreint. Impossible de loger tout le monde. Nous voilà sur la route Fernand et moi, presque incapables de faire un pas, et sans abri.

Enfin nous arrivons à trouver une grange occupée seulement par deux artilleurs et, après discussion, nous partageons leur paille et nous voilà étendus. Ouf !

Dès 5 heures, il faut repartir, je n'en peux plus. Le capitaine nous affirme que nous n'allons pas loin. En effet, nous arrivons vers 8 heures à l'entrée d'Ancemont, pays du sénateur Charles Humbert dont on aperçoit la propriété.

Là, nous avons un bon cantonnement chez une dame dont le mari est à Verdun et qui a chez elle sa mère et sa sœur obligées d'évacuer Verdun. Nous allons pouvoir nous nettoyer et nous reposer un peu en attendant un ordre de départ, peut-être pour la nuit.

À 5 heures, rassemblement, mais nous ne partons pas. Les hommes nettoient leur arme. C'est en somme une journée de repos. Tout à coup, on annonce que les lettres sont arrivées. Je me précipite, j'en ai deux pour ma part, mais elles sont datées du 3 et 4. Elles ne m'apprennent rien de nouveau.

C'est égal, ça fait du bien de lire ces nouvelles qui nous arrivent de loin. Mais quoi, une larme tombe sur la lettre que j'ai en main. Pendant que nous mangeons la soupe, l'adjudant me charge de trouver un lapin pour le lendemain. Je m'endors content d'avoir reçu des nouvelles.

Rassemblement à 5 heures, mais toujours pas d'ordre de départ. Je m'occupe de la popote, j'ai trouvé un superbe lapin que je fais assaisonner avec des pommes de terre. Nous en avons pour la journée.

Le soir, après la soupe, nous fumons des cigarettes dans le jardin et un homme de la section, Simon de Rebbars, ancien artiste de café-concert, nous chante des chansonnettes. On ne se dirait vraiment pas en guerre.

Toujours pas d'ordre de départ. Le capitaine a décidé de nous faire faire un peu d'exercice. Ça fait passer la matinée, mais l'après-midi commence à sembler longue.

Enfin, le soir arrive et nous allons nous coucher, mais personne n'arrive à dormir dans la grange et c'est à qui dira des bons mots. Ça dure jusqu'à près de 11 heures. À minuit, réveil. Cette fois nous partons et c'est à regret que nous quittons Ancemont dont nous emportons le souvenir d'un bon séjour.

Après avoir contourné Verdun, nous remontons vers le nord et nous marchons jusqu'à midi par une chaleur accablante.

Je trouve un bâton et je m'en sers pour me soutenir car j'ai bien mal aux pieds. Ce sera le fanion de la section. Aussitôt la nuit, personne ne se fait prier pour s'étendre dans la paille.

Dès que je suis sur pied, je me mets en quête d'un canard pour déjeuner. Nous avons pris notre cantonnement sur un pré et nous faisons un déjeuner sur l'herbe très réussi.

Le dîner est très agréable aussi, cependant on commence à avoir de la difficulté à trouver du vin. Toujours pas de nouvelles, ça devient inquiétant.

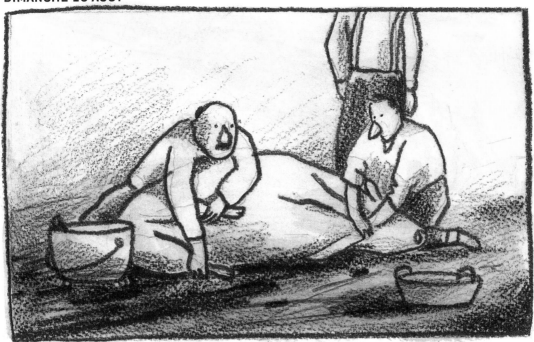

Le capitaine a acheté un cochon pour la compagnie. C'est la première fois que je vois tuer et détailler un cochon. Les sous-officiers de la 3ᵉ section prennent leur part. Notre cuisinier nous fait un rôti succulent.

C'est encore un bon déjeuner sur l'herbe, mais arrosé d'eau car le vin fait complètement défaut. Le soir, même menu et la journée s'achève sans que j'aie encore reçu de nouvelles.

Allons-nous rester encore longtemps ici ? Le 4e régiment d'infanterie se porte à 3 km en avant de nous et le reste du régiment qui était en arrière vient occuper le pays. La journée se passe sans incident.

MARDI 18 AOÛT

Nous partons dès le matin occuper Gremilly, à 3 km, remplacer le 4e régiment qui se porte à Azannes. C'est paraît-il notre emplacement définitif. On nous annonce que les Prussiens sont à peine à 14 km en avant de nous. On commence à penser que l'on est en guerre. Toujours pas de nouvelles.

MERCREDI 19 AOÛT

Nous faisons une marche dans les champs avoisinant le pays. L'après-midi, le capitaine passe une revue. On se croirait à la caserne.

JEUDI 20 AOÛT

Là encore, exercice du matin et la revue l'après-midi. Je n'aurais pas cru voir ça en temps de guerre. Ça devient embêtant. Je ne reçois pas de nouvelles. J'ai le cafard. On nous annonce que les Prussiens ont saccagé le village de Pillon à 10 km en avant de nous, avant de se retirer.

À 5 heures 30, nous partons dans la direction de Longwy. Nous traversons Azannes, Mangiennes, où a eu lieu un combat quelques jours auparavant.

Sur le bord de la route, deux modestes croix nous indiquent l'emplacement où sont morts deux petits soldats.

Partout dans les champs, l'on voit des douilles d'obus laissées là par les artilleurs. Ça commence à sentir la guerre. Après avoir dépassé Longwy, où les habitants nous acclament et nous distribuent à boire, le capitaine nous annonce que notre avant-garde est en contact avec l'ennemi aux environs de Longwy.

Vers 5 heures du soir, le bruit du canon se fait entendre d'une façon plus distincte. Le bataillon se déploie dans un champ et nous prenons la formation de combat contre l'artillerie.

Nous avons fait plus de 40 km et tout le monde se laisse tomber pour faire une pause. Je suis en nage. Tout à coup, le temps se noircit et un violent orage éclate.

Impossible de se mettre à l'abri. Nous sommes transpercés par la pluie.

Enfin, nous gagnons Beaumont à la nuit tombante. Fernand trouve dans une maison un bon feu et je vais le rejoindre pour me faire sécher.

Mais on vient lui annoncer qu'il doit prendre la garde aux issues du village avec sa demi-section et nous voilà partis dans la nuit.

Nous trouvons une maison des plus hospitalières

où le maître du logis nous offre du café et la goutte pour passer la nuit. Il nous offre même un lit, mais nous ne pouvons pas en profiter, étant de garde et à la merci d'une alerte de nuit.

Je sors un instant, il fait nuit noire, le canon s'est arrêté de gronder. Au loin, deux villages incendiés par les Prussiens répandent dans la nuit une lueur rougeâtre. Je rentre écœuré et je m'allonge un instant sur la paille.

Au petit jour, le canon recommence sa chanson. Le régiment se déploie, nous sommes en réserve du corps d'armée. On entend distinctement le bruit de la fusillade. Devant nous se trouve un bois d'où sortent bientôt des blessés des régiments engagés devant nous.

Les uns traînent la jambe, d'autres sont blessés au bras ou à la tête, deux bataillons sont déjà passés dans ce bois, et bientôt c'est à notre tour.

C'est un bruit assourdissant. Le bataillon reçoit l'ordre d'aller occuper Saint-Rémy, village belge sur la frontière à 2 km environ du bois où nous sommes et nous voilà partis à dévaler une pente, puis à progresser par bonds dans le fond d'une cuvette au-dessus de laquelle les shrapnels allemands font rage.

De temps en temps, des fils de fer nous arrêtent, mais nous progressons toujours. Le soleil est juste au-dessus de nous, il doit être environ midi. Mais personne ne songe à la chaleur ou à la fatigue.

Enfin nous arrivons à Saint-Rémy, mais le village ne contient personne. On se compte, pas un blessé, pas un mort. Allons, l'artillerie allemande n'est pas si meurtrière que ça.

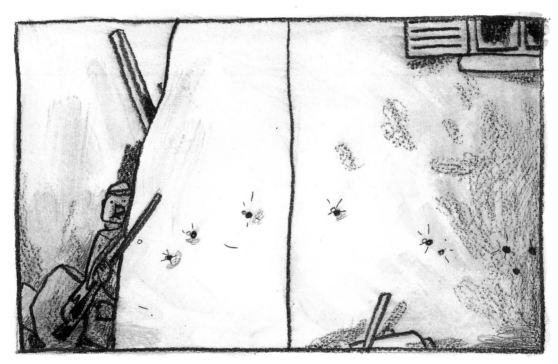

Nous voyons devant nous notre infanterie qui lutte pied à pied et plus loin l'infanterie allemande dont les balles commencent à arriver jusqu'à nous. Un ordre arrive de se replier.

La compagnie doit gravir une crête d'au moins 300 mètres. Nous commençons à monter par bonds, mais à chaque bond les obus nous suivent et cette fois, ce sont des obus percutants qui creusent des trous autour de nous où l'on enterrerait un cheval.

Le capitaine avance toujours, suivi seulement de quelques hommes dont Fernand et moi. Le reste est éparpillé sur toute la crête. Quelques-uns se cachent derrière des gerbes de blé, se croyant à l'abri.

Les obus pleuvent de plus en plus. Enfin nous arrivons au sommet de la crête que nous redescendons à toute vitesse. Le capitaine n'a plus autour de lui que la 3e section et quelques hommes isolés des autres sections.

Nous partons rejoindre le point de rassemblement du régiment en arrière. Mais c'est encore loin et je n'en peux plus. Nous regagnons la route de Longwy encombrée de chariots et de camions plein de blessés.

Des groupes de tous les régiments passent. C'est la déroute. Je suis obligé de quitter la colonne car je ne peux plus mettre un pied devant l'autre.

Je m'aide de mon bâton et Fernand reste avec moi. Il est aussi fatigué que moi. C'est égal, nous l'avons échappé belle. Enfin, nous rattrapons le régiment qui est arrêté dans un champ.

Petit à petit, les compagnies se retrouvent et nous partons encore plus loin en arrière. Il fait nuit quand nous arrivons dans un champ de blé où nous prenons la formation de bivouac.

Nous trouvons un peu de paille et nous nous couchons Fernand et moi, côte à côte pour nous réchauffer. Je ne tarde pas à fermer l'œil.

Le froid me réveille au petit jour. D'ailleurs, il faut partir et on commence à faire des tranchées. Un instant de répit nous permet de faire la soupe.

Le canon tonne et semble se rapprocher de plus en plus. En effet, à peine avons-nous le temps de manger que nous apercevons devant nous la fumée des obus qui éclatent. Il faut encore se replier.

Une fois sur la route, nous dépassons des gens qui s'enfuient devant l'invasion des Prussiens et c'est pénible à voir ces chariots chargés de femmes et d'enfants qui sont partis en abandonnant leur maison, pendant que le père est à l'armée accomplissant son devoir.

Après avoir traversé des villages abandonnés, nous prenons position en rase campagne, derrière un champ d'avoine où on recommence à faire des tranchées.

Bientôt un ronflement nous annonce l'arrivée d'un aéroplane allemand qui vole au-dessus de nous. À peine a-t-il disparu à l'horizon que l'artillerie allemande, renseignée par lui, nous envoie des obus.

Mais notre artillerie lui répond, et jusqu'à la nuit, c'est un bruit assourdissant.

Enfin la nuit arrive et nous formons le bivouac, mais la 3ᵉ section est détachée en petit poste à la lisière d'un bois et, pour cette fois, ce sera une nuit blanche.

Toujours dans le lointain s'élèvent les lueurs rouges des incendies.

La nuit s'achève tant bien que mal. Je lutte contre le sommeil et la fatigue. Enfin le jour arrive et la fraîcheur du matin me réveille. Mais dans le bois, un cri s'élève « Oh mon bras ! ».

C'est un blessé qui est resté toute la nuit ignorant où il se trouvait au milieu des Français ou des Prussiens. Des brancardiers l'emmènent pendant que nous reprenons notre place dans les tranchées de la veille.

Mais le canon fait rage et il faut bientôt se replier. Après bien des détours nous arrivons vers la fin du jour près du bois de Marville, où nous commençons des tranchées à flanc de coteau, en face d'une crête que l'artillerie allemande ne tarde pas à bombarder.

Mais la nuit arrive et nous restons dans nos tranchées.

Au petit jour, l'aéroplane fait sa reconnaissance et bientôt les obus recommencent à pleuvoir. Nous partons et nous devons traverser un bois où les chemins sont peu praticables.

Il faut marcher en file indienne et la colonne s'allonge pendant que l'artillerie allemande commence à battre le bois. En sortirons-nous vivant ? Après bien des angoisses, la compagnie se retrouve intacte de l'autre côté. Décidément, nous avons de la veine.

Nous traversons des villages abandonnés. C'est pitoyable de penser que bientôt les Prussiens arriveront ici et mettront tout à feu et à sang.

Nous marchons toujours, je suis extenué et je suis hanté par cette idée : le repos. Enfin, on s'arrête en vue d'un village, c'est Peuvillers. Le bataillon est déployé en avant du village et on recommence à faire des tranchées.

Vers le soir, un aéroplane passe au-dessus de nous, il est bas et nous reconnaissons un Français, enfin !

MERCREDI 26 AOÛT

La nuit n'a pas été longue. Il est peut-être minuit quand on nous réveille. Il faut encore partir. Quand donc nous arrêterons-nous ? Après une trentaine de km, nous arrivons sur les bords de la Meuse.

La Meuse que nous devons repasser le soir, mais auparavant le bataillon doit assurer la retraite du corps d'armée et nous restons sur les hauteurs, face à l'ennemi, car on nous signale des reconnaissances de cavalerie. En effet, de temps en temps, une silhouette apparaît à l'horizon.

La 3e section est détachée sur le bord du canal pour assurer la liaison avec les troupes se trouvant à notre droite. Passerons-nous la nuit ici ? Il fait plutôt frais. Une petite pluie qui tombe n'est pas faite pour nous réchauffer.

Le soir arrive quand un cycliste vient nous prévenir de gagner le village de Vilosnes où se trouve le pont que nous devons traverser et que l'on doit faire sauter à la nuit. Il nous apprend que toutes les troupes ont passé la Meuse et que nous sommes les seuls de ce côté-ci.

Au même moment, une détonation retentit. Est-ce le pont ? Sommes-nous prêts ? La section prend le pas de course et malgré la fatigue, il n'y a pas de traînard. Nous avons vite fait les 500 mètres qui nous séparaient du pont. Ouf ! Il est encore là. C'est une passerelle qu'on a fait sauter tout à l'heure !

Avec quel plaisir nous traversons la Meuse. Et nous voilà partis dans la nuit. Nous arrivons à Montillois par une pluie battante à 11 heures du soir, une fois là, on nous apprend que le pays est déjà occupé par la troupe et qu'il est impossible de faire un cantonnement.

Chacun doit se débrouiller pour se faire une place dans une grange. J'emmène Fernand et nous partons chercher un coin pour nous abriter tous les deux. Nous arrivons à trouver une échelle dressée le long d'un mur à côté d'une fenêtre ouverte.

Je monte explorer l'intérieur de la maison, je suis dans une chambre vide où se trouvent des sacs et de la paille. J'appelle Fernand qui vient me rejoindre et nous commençons à nous installer.

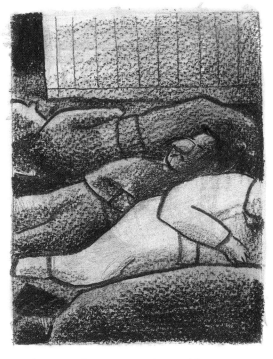

Mais bientôt, c'est une avalanche de soldats en quête d'un logement qui envahissent notre demeure. Heureusement, il y a de la place pour tout le monde et bientôt enfoui dans un sac, je m'allonge sur la paille.

JEUDI 27 AOÛT

À dix heures seulement, nous partons occuper un cantonnement un peu plus logeable. Nous arrivons à Cunel après 5 km et nous pouvons nous reposer toute la journée. Je n'ai toujours pas de nouvelles et je suis réellement inquiet.

VENDREDI 28 AOÛT

Dès 5 heures, la 3ᵉ section désignée de garde de police part occuper le poste. C'est une longue journée, mais au moins on n'entend pas le canon. Les compagnies sont parties faire des tranchées autour du pays, et tout est calme.

Le soir arrive et je reçois enfin des cartes postales de ma chère femme, datées du 19 au 22. Les nouvelles sont bonnes, et je suis un peu remonté.

Pour la nuit il est impossible de coucher dans le hangar qui sert de poste et je vais m'allonger avec Fernand sur un chariot sur lequel nous avons étalé de la paille.

Je suis éveillé bien avant le jour par la fraîcheur de la nuit.

Le poste est relevé et nous rejoignons la compagnie. Après une marche sous bois, nous revenons prendre place à la lisière où nous restons jusqu'au soir pendant que le canon gronde.

Plusieurs aéroplanes allemands viennent voler au-dessus de nous, mais nous sommes bien cachés. À la nuit nous regagnons notre cantonnement, et après un bon café, je me dispose à passer une bonne nuit.

Mais vers 10 heures, on vient nous réveiller. La compagnie doit aller à Aincreville pour assurer la liaison avec le 4e corps d'armée. Après 2 heures de marche dans la nuit, nous arrivons et je peux m'endormir quelques heures.

Nous manœuvrons derrière le 4ᵉ corps, mais l'artillerie allemande fait rage et nous devons encore nous replier sur Aincreville.

Le soir nous surprend près d'un petit ruisseau qui longe le pays, cependant que les obus percutants tombent sur le village et autour de nous, creusant des trous énormes.

À la nuit, nous regagnons Cunel sans avoir à déplorer un seul blessé mais en arrivant, nous sommes dirigés sur la route qui longe le bois que nous occupions hier.

Et c'est dans un champ que nous devrons passer la nuit.

Au petit jour nous partons dans la direction de Dun-sur-Meuse. En longeant le bois, j'aperçois une jambe de soldat qui pend accrochée à une branche. C'est là qu'un obus percutant est tombé sur une section de la 6ᵉ compagnie, qui a été en partie anéantie.

Nous nous déployons derrière une crête pendant que le canon gronde. Nous progressons lentement, et après avoir traversé une route, nous occupons la crête au milieu d'un champ d'avoine.

Mais bientôt les shrapnels éclatent au-dessus de nous et il faut avancer.

Au moment où je me lève, une douleur au bras gauche m'arrête. Je soulève ma manche et je vois dans mon bras un trou par lequel le sang coule.

Vite je sors de ma poche mon paquet de pansement et je le tends à un soldat qui est près de moi, pour me soigner. Pendant qu'il me panse le bras, les obus continuent à pleuvoir autour de nous.

Je n'oublierai jamais le dévouement de ce soldat qui n'a pas hésité à risquer sa vie en restant auprès de moi pour me soigner. Le canon gronde. Nous nous quittons en nous souhaitant bonne chance et je regagne la route en rampant à plat ventre.

Les shrapnels éclatent toujours au-dessus de moi et je passe un moment d'angoisse indescriptible.

Enfin, c'est la route, je me précipite dans le fossé que je suis, aussi vite que je peux. Je rencontre des traînards dont l'un deux offre de m'accompagner et de porter mon sac. Je suis tellement épuisé que je n'ai pas la force de refuser et nous continuons notre chemin.

Mais mon bras me fait bien souffrir et le premier pays est encore loin. Nous nous arrêtons sur le bord de la route et présumant une fracture, je fais couper par mon compagnon une branche d'arbre en deux dans le sens de la longueur et je me fais attacher solidement de chaque côté du bras.

Nous partons sur Bantheville et là, après bien des détours, nous trouvons une ambulance automobile où je monte. Ouf ! Je n'en peux plus.

Après avoir pris trois autres blessés, nous partons sur la gare de Clermont-en-Argonne où, après bien des secousses et des détours, nous arrivons vers 18 heures.

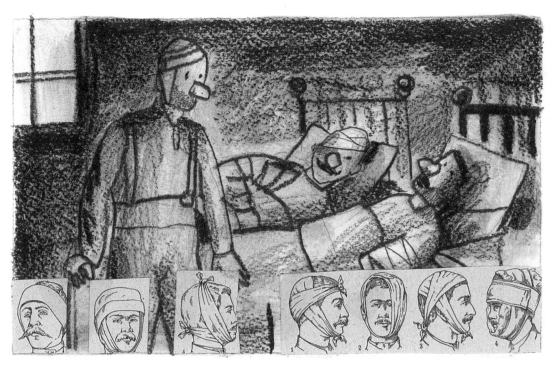

Après examen du major, je vais à l'hôpital de la ville me faire un pansement. Là, c'est un spectacle horrible : il n'y a que les grands blessés qui sont conservés. Les uns ont un bras emporté, d'autres, une jambe,

un artilleur qui réclamait la mort depuis le matin rend le dernier soupir.

Un major qui passe annonce qu'il vient de terminer sa 11ᵉ opération. On n'a guère le temps de s'occuper de moi.

Cependant, j'arrive à trouver un infirmier étudiant en médecine. Après avoir enlevé mon pansement qui m'a été fait sur le champ de bataille, il pronostique une fracture du radius et me bande le bras en conséquence.

Je regagne la gare où de nombreux blessés attendent le train. Je n'ai rien pris depuis le matin mais je n'ai pas faim et je me contente d'une gamelle de bouillon que m'offre un infirmier.

À 20 heures, le train arrive et je monte dans un compartiment de 1re classe avec trois autres blessés du 82e. Le train démarre et je m'endors.

Après avoir roulé toute la nuit, nous arrivons à Châlons où on nous fait changer de train et nous partons sur Troyes où nous arrivons à 10 heures.

Allons-nous rester ici ? On nous parque dans un hangar où sont déjà de nombreux blessés. Je profite d'un moment pour prévenir ma chère femme que je suis blessé.

On nous distribue un bol de bouillon et à 2 heures nous reprenons un train qui doit nous emmener sur Cahors. Jusqu'à 4 heures nous attendons que le train soit complet. Il fait une chaleur accablante et mon bras commence à me faire souffrir.

Enfin nous partons. Dans toutes les gares, les habitants nous apportent des fruits, du chocolat et du café. Mais impossible de ne rien prendre car j'ai une fièvre terrible.

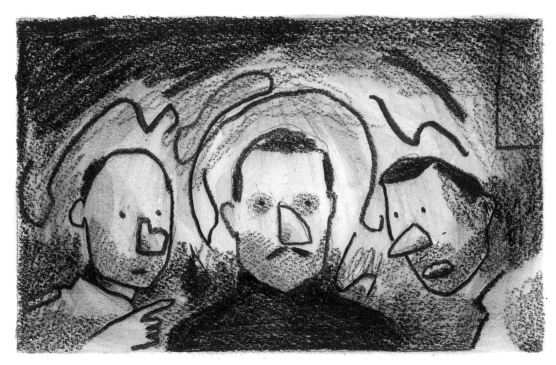

Nous arrivons à Laroche et n'y pouvant plus tenir, je vais trouver le major qui voyage avec nous en le priant de me donner quelque chose pour couper ma fièvre. Mais il me dit que l'arrêt n'est pas assez long ici, et qu'il me fera descendre à la prochaine station.

C'est Auxerre où nous arrivons vers 8 heures et demi. Je descends du train et je monte dans l'ambulance qui me dirige sur l'hôpital militaire où j'arrive vers 9 heures complètement abruti.

J'y trouve un major qui me renouvelle mon pansement et m'apprend à mon grand étonnement que les Allemands sont à Compiègne et s'approchent tous les jours de Paris.

Je vais me coucher dans un bon lit où je m'endors profondément.

Je m'éveille après une bonne nuit de sommeil et je trouve un bol de café fumant. Quel changement ! J'écris à ma chère femme pour la rassurer et lui envoyer mon adresse. Vers 10 heures, le Major passe la visite.

À 11 heures, on m'apporte mon déjeuner qui consiste en un pot de lait, c'est peu, mais la fièvre étant tombée, le soir j'ai droit à un peu de viande et de purée.

Vers 15 heures, je suis pansé par la surveillante en chef de l'hôpital, femme d'un dévouement à toute épreuve, c'est elle qui fait tout ici. Dans la journée, quelques dames viennent nous visiter et nous apportent des douceurs.

Et le soir arrive sans que la journée n'ait paru trop longue. Cependant, j'espère bien me lever demain.

Je me lève dans la journée, mais le temps me semble long. Je fais connaissance avec mes compagnons de malheur dont quelques-uns sont Parisiens. Je me lie particulièrement à l'un d'eux, sergent au 19e bataillon de chasseurs à pied, qui a été blessé d'un éclat d'obus au-dessus de l'omoplate droite.

Dans la soirée arrivent de nouveaux blessés. À 20 heures, je suis couché et je m'endors en pensant que peut-être les Allemands sont à Paris.

VENDREDI 4 SEPTEMBRE

C'est toujours la vie monotone à l'hôpital. Je n'ai toujours pas de nouvelles mais je me console en pensant que ma chère femme doit me savoir à l'abri des balles.

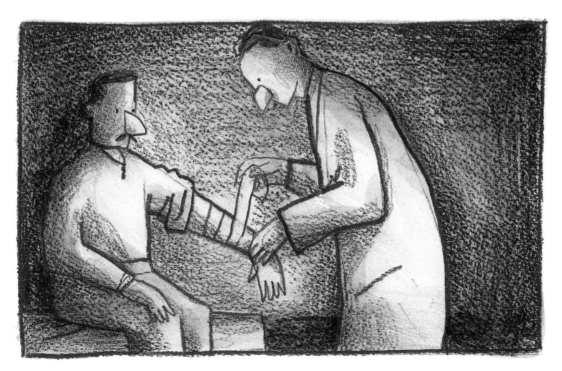

Je suis bien malheureux de ne pouvoir me servir que d'une main et d'avoir souvent besoin de quelqu'un pour m'aider.

Je reçois une lettre de Paris. Tout le monde se porte bien. Je serais heureux de savoir les Allemands éloignés un peu de ceux qui me sont chers.

SAMEDI 12 SEPTEMBRE

Voici une semaine qui m'a semblé d'une longueur démesurée.

C'est toujours la même vie, je m'ennuie à mourir et j'ai le cœur bien gros.

Je regrette parfois de n'être pas resté sur la ligne de feu.

Le journal trouvé par Barroux s'arrête là, alors que le carnet de chants qui l'accompagne continue jusqu'en mai 1917. Nous ne saurons jamais pourquoi notre poilu a cessé de tenir son journal, ni ce qu'il est devenu.

Le hasard a voulu qu'un promeneur curieux trouve ces cahiers et les sauve de la destruction. Ils nous livrent le récit des premiers mois de cette guerre dont tout le monde pensait qu'elle serait terminée à Noël et qui a duré plus de quatre ans. C'était il y a cent ans.

Qui - alsace lorraine

La Question du Jour

I

Depuis deux ans que la guerre est commencée
Ce que l'on fait, tout de suite, en s'abordant
C'est de se dire d'une voix angoissée
"Crois-tu que la guerre va durer encor longtemps ?
"C'est que ça commence à devenir long tout de même
"Ah ! ce qu'on s'embête ! On serait peut-être mieux au front.
"Mais je suis trop vieux — "Moi ! j'ai de l'emphysème."
"Mais je crois cependant que c'est nous qui les aurons."
"Nous reprendrons l'Alsace et la Lorraine.
"Y aura plus de Boches ! Y aura plus que des Français
"Un officier m'a dit l'autre semaine,
"Que ça s'rait p't'être fini pour le mois de Mai —

II

Pour le mois de Mai — Hélas ! avec ces drogues
Ne crois-tu pas que ça durera plus longtemps ?
Et c'est toujours, partout, le même dialogue,
Vous avouerez, qu'à la fin, c'est embêtant !
Chez mon coiffeur, cependant qu'il me rase,
En me tenant le nez, il se croit obligé,
De me répéter, à son tour, cette phrase :
"Croyez-vous que les Boches seront délogés ?

Quand reprendrons-nous l'Alsace et la Lorraine ?
Ce jour-là, Monsieur, croyez-vous, quel succès !
Et, plein d'ardeur, mon barbier, qui se démène,
Me coupe la gueule, et verse le sang français.

III

Donc, excédé, un matin, plein d'audace
Je me suis souvenu que Joffre est mon ami,
Et je suis parti, par la gare Montparnasse
Pour une bonne fois, me renseigner auprès de lui.
J'arrive là-bas à ... (Je ne puis pas le dire)
Nettons à ... X ... et Joffre me reçoit
Je lui dis ce que je veux, alors il se met à rire,
Et me dit : "Mon cher, je crois que tu te fous de moi !
"Qu'est-ce que tu me chantes avec l'Alsace-Lorraine ?
"Parle-moi des pièces que l'on joue aux Français,
"Mais, de la guerre, mon vieux, c'est pas la peine :
"Je suis le seul qui n'en parle jamais."

© Éditions du Seuil, 2011

Dépôt légal : septembre 2011

ISBN : 978-2-02-104445-4

N° 104445-2

Loi 49-956 du 16 juillet 1949 sur les publications destinées à la jeunesse.

Tous droits de reproduction réservés

Imprimé en France par Pollina

www.seuiljeunesse.com